Madame
Poipoi

Monsieur
Henri

Gino
Marto

Rémi
Lepoivre

Adrien
Dubouchon

Mélani
Lano

Tom-Tom et Nana

La tribu des affreux

Scénario : Jacqueline Cohen, Evelyne Reberg
Dessins : Bernadette Després - Couleurs : Catherine Viansson-Ponté

Marie-Lou
Dubouchon

Yvonne
Dubouchon

Nana
Dubouchon

Tom-Tom
Dubouchon

Douzième édition
© Bayard Éditions Jeunesse, 2001
© Bayard Éditions / J'aime Lire, 1992
ISBN : 2.227.73103.6
Dépôt légal : 2ème trimestre 1992
Imprimé en France par Pollina, 85400 Luçon - n° 86824

Les Tom-Tomawaks sont là

8

11

13

14

Le cahier de malheur

21

24

Le gang de la cave

On a perdu Marie-Lou, maintenant !

Non, la voilà !

Elle est folle, elle passe devant le commissariat ! Elle va se faire arrêter !

Ouf ! Les policiers ne l'ont pas reconnue !

Ils ne sont pas très malins !

Oooh !! J'ai cru qu'elle allait attaquer la banque !

Mais où elle va, alors ?

177-7

34

Maudite robe de chambre

36

38

Il suffit d'un peu de bon sens. Cinq pulls! Cinq pantalons! Dix paires de chaussettes!

Quoi! Tout ça?

Une robe de chambre!

Et je vais chercher le reste!

Elle veut ma mort!

En tout cas, je n'emporterai pas cette horreur!

Donne!...

?

J'ai une idée!

42

44

La reine des gommes

46

48

50

La poésie d'automne

61

Case 1: Ah, ça! On peut dire que c'est fait maison!...

Case 2: ...Ça mérite une bonne note,... au moins pour l'effort!

Case 3:
Ecoutez :
Le vent claque,
Les feuilles craquent,
Je les croque.
Cric, crac, croc!

Hé! C'est toi qui l'as fait ce truc-là?

Euh... Oui, tout est de moi, sauf... euh... les mots!

FIN

La mallette au trésor

Ni vu, ni connu!

C'était rien du tout de la voler!

Heureusement qu'on est là!

Je la range dans le lavabo!

Non! Y a la boîte de chimie!

Sous le lit!

C'est archibourré!

Dans le garage, avec les chaussettes!

Parfait!

179·4

74

La bonne combine

76

84

Le prix de poésie

Mais non, andouille! Le Grand Prix de Poésie des enfants!
Ah! Ah! laisse-moi rigoler!...
...Tu n'as jamais écrit une seule poésie de ta vie!
Comment ça? Regarde...
quoi, quoi, quoi? "Le vent claque, les feuilles craquent"...
Cher petit poète! Vous avez gagné le Grand Prix avec votre poésie!
"Le vent claque,
Les feuilles craquent
Je les croque
Cric,
Crac,
Croc"
Bravo! Nous
STUDIO DE TÉLÉ
C.C.
Mais c'est moi qui ai écrit ça! Menteur! Voleur!
GRAND
Prix
Bon, bon, d'accord...
GRAND
C.C.C.
N'empêche que c'est MOI qui ai eu l'idée d'envoyer cette poésie!
GRAND
Prix
C.C.C.

Tom-Tom et Nana : la tribu des affreux

87

89

91

94

Tom-Tom et Nana

T'es zinzin si t'en rates un !

N° 1 ☐   N° 2 ☐   N° 3 ☐   N° 4 ☐

N° 5 ☐   N° 6 ☐   N° 7 ☐   N° 8 ☐   N° 9 ☐   N° 10 ☐

N° 11 ☐   N° 12 ☐   N° 13 ☐   N° 14 ☐   N° 15 ☐   N° 16 ☐

N° 17 ☐   N° 18 ☐   N° 19 ☐   N° 20 ☐   N° 21 ☐   N° 22 ☐

N° 23 ☐   N° 24 ☐   N° 25 ☐   N° 26 ☐   N° 27 ☐